ISBN SÉRIE 2-84580-048-7 / ISBN VOL. 2-84580-139-4
ISBN ÉD.ORIGINALE 4-09-137641-X

AYASHI NO CERES 8
Un conte de fées céleste

Yuu Watase

AYA MIKAGÉ

ELLE S'EST DÉCIDÉE À SE BATTRE CONTRE SON DESTIN, À RETROUVER LA ROBE DE PLUMES ET À RENVOYER CÉRÈS CHEZ ELLE.

RÉSUMÉ :

AYA MIKAGÉ, JEUNE LYCÉENNE APPAREMMENT NORMALE, EST LA DESCENDANTE D'UNE NYMPHE CÉLESTE. UN JOUR, SA PROPRE FAMILLE, LES MIKAGÉ, APPRENANT QUE AYA PORTE EN ELLE LES GÈNES DE LA NYMPHE, MONTE UN PLAN POUR L'ASSASSINER. ACCULÉE, FACE À LA MORT, AYA EN PERD SA PERSONNALITÉ ET SE CHANGE EN CETTE FAMEUSE NYMPHE, CÉRÈS. CELLE-CI DÉCLARE À AKI, LE FRÈRE JUMEAU D'AYA, QU'IL EST CELUI QUI LUI A VOLÉ SA ROBE DE PLUMES !

KAGAMI MIKAGÉ QUANT À LUI, MET EN PLACE LE "PROJET C". SON PLAN CONSISTE À METTRE EN ÉVIDENCE LES GENS PORTEURS DU "GÉNOME C", CELUI DES NYMPHES ET À LES RASSEMBLER POUR S'EN SERVIR. MAIS TOYA, L'HOMME DE MAIN DES MIKAGÉ, FINIT PAR S'ÉLOIGNER DE KAGAMI POUR REVENIR AUPRÈS D'AYA.

PEU APRÈS, L'ANCÊTRE DES MIKAGÉ RENAÎT DANS LE CORPS D'AKI !! HEUREUSEMENT, AYA ET LES AUTRES COMMENCENT

AKI MIKAGÉ

LE FRÈRE JUMEAU D'AYA. IL EST LA RÉINCARNATION DE L'HOMME QUI FORÇA JADIS CÉRÈS À DEVENIR SON ÉPOUSE !!

YUHI AOGIRI

SUZUMI LUI A ORDONNÉ DE VEILLER SUR AYA. IL LUI A DÉCLARÉ SON AMOUR MAIS… ?!

TOYA

IL A PERDU LA MÉMOIRE. IL S'EST LIBÉRÉ DU JOUG DE KAGAMI ET RESSENT DE L'AMOUR POUR AYA.

À TROUVER DES ALLIÉS PRÉCIEUX : CHIDORI ET SHURO, UN DES PORTEURS DU "GÉNOME C" QUE KAGAMI A REPÉRÉ À OKINAWA. AYA QUANT À ELLE PASSE LA NUIT AVEC TOYA ET CELUI-CI SEMBLE UN PEU RECOUVRER SA MÉMOIRE. MAIS AYA EST INQUIÈTE CAR ELLE SAIT QUE SI TOYA RETROUVE SES SOUVENIRS, IL SE PEUT QU'IL OUBLIE TOUT CE QUI S'EST PASSÉ DEPUIS SON AMNÉSIE…

DATE DE NAISSANCE : 03-02-

GROUPE SANGUIN : B

TAILLE : 1,50 M
MENSURATIONS : 75-56-80

TRANSFORMÉE : TAILLE : 1,65 M
MENSURATIONS : 85-57-83

PASSE-TEMPS : LA PHOTO, DÉVELOP-
PER DES FILMS, COLLECTIONNER LES
PETITS BIJOUX RIGOLOS

SPÉCIALITÉ : CRIER (?), SE FAIRE PASSER
POUR UNE ÉLÈVE DE PRIMAIRE

CHIDORI KORUMA

LES BLA-BLAS DE YUU WATASE

Je suis Watase ! On le sait, me direz-vous... Alors, bonjour !
Cette fois-ci, j'ai trop de choses à vous dire... Je ne sais pas quoi choisir.

Oui, Shuro est beaucoup aimé... Certains d'entre vous m'ont demandé si "Lazy Knack" est le modèle de GeSANG. Non, malheureusement, il n'y avait pas de modèle pour GeSANG... Vraiment. J'ai imaginé un garçon d'aujourd'hui mais avec un visage différent... Et voilà celui que vous connaissez ! Pendant que je dessinais ça, j'écoutais le groupe "Access" que j'aimais il y a longtemps. Je voulais aussi une musique qui ressemblait à ça, chantée par deux personnes... Là, mon assistante m'a apporté "Lazy Knack". Donc, en effet, j'écoutais ça en faisant ces dessins.
"GeSANG" veut dire "chanson" en allemand. J'aime bien ce groupe. Si le "e" est un minuscule, c'est exprès, pour donner une impression visuelle.
Au début, je pensais dessiner un groupe de 4 à 6 personnes, comme le groupe "V6". C'est à ce moment-là que le groupe "Da Pump" a fait ses débuts. Mais comme mon assistante m'a dit que ce serait compliqué de dessiner beaucoup de membres, j'ai décidé de faire un groupe de 2 personnes.
Le personnage de Shuro existait depuis le début de cette histoire. J'ai beaucoup réfléchi pour être sûre de savoir si ce personnage était un vrai garçon ou pas. Finalement, j'ai décidé que ce serait une fille, comme un ange à la japonaise. Il y avait beaucoup de gens, y compris mon assistante, qui ont été déçus. (rires) M'enfin, ce personnage est très apprécié. Oublions donc le petit inconvénient. (rires)
Ah oui, en parlant de Shuro, mes lecteurs m'ont appris beaucoup de mots en dialecte...
(à suivre)

ÉVIDEMMENT... J'AVAIS TOUJOURS VOULU RETROUVER MES SOUVENIRS... ET POUR ÇA, JE M'ÉTAIS MIS DU CÔTÉ DE KAGAMI... ET J'AVAIS MÊME TENTÉ DE TE FAIRE DU MAL ...

C'ÉTAIT PARCE QUE JE N'AVAIS PAS CONFIANCE EN CE MOI "QUI A PERDU LA MÉMOIRE"... ET JE ME SUIS PERDU DE VUE... À DE NOMBREUSES REPRISES ...

"COMME JE NE SAIS PAS QUI JE SUIS, TOUT CE QUE JE FAIS, TOUT CE QUE JE DIS SE RÉVÉLERA PEUT-ÊTRE PLUS TARD COMME UN MENSONGE"

ET PUIS TU M'AS REJOINT, ET DÈS QUE JE T'AI VUE, JE ME SUIS DIT ...

SHIZUOKA

CÔTE
DE MIHO

ENSUITE,
NOUS NOUS
SOMMES DIS
"BONNE NUIT" ET
NOUS AVONS
RACCROCHÉ...
J'AI PLEURÉ
ENCORE
LONGTEMPS...

...ET, À MESURE QUE
COULAIENT MES
LARMES, TOUTES MES
CRAINTES S'EFFAÇAIENT
DE MON CORPS...

...PARCE QUE NOUS
VOULIONS TOUS LES
DEUX CROIRE À NOS
SENTIMENTS...
PARCE QUE NOUS
Y TENIONS AUTANT
L'UN QUE L'AUTRE...

C'EST MAGNIFIQUE,
N'EST-CE PAS ?!
C'EST DONC ICI QUE
SUZUMI AVAIT
DANSÉ AUTREFOIS,
LE "MATSU NO
HAGOROMO"
!!

STATUE DE
HAKURYO

QUI ÇA ? MOI ?

AAAH, JE M'EN VEUX TE T'AVOIR MANQUÉ DÉGUISÉ EN FILLE À MIYAGI !

DIS, TU AS UN PROBLÈME ?! TU DEVRAIS TE RÉJOUIR AU CONTRAIRE QUE L'ÉCOLE OÙ TU VAS ALLER CETTE FOIS SOIT MIXTE !

ET TOI AUSSI TU ES BÊTE AYA !! TU TE RENDS N'IMPORTE OÙ DÈS QUE TU ENTENDS PARLER DE LA ROBE DE PLUMES ET TU NE SAIS MÊME PAS À QUOI RESSEMBLE CE QUE TU CHERCHES !!!... ?!!

...QU'EST-CE QU'IL A LUI ?! IL CHERCHE LA BAGARRE ?!! QU'EST-CE QUE JE LUI AI FAIT ?!!

À MOI RIEN JUSTEMENT !! MAIS À TOYA ...

TU VEUX VOIR UNE PHOTO ?

OUAH AH AH AH AH AH !!

POURQUOI TU LES AS AMENÉES ICI ?!!!

QU'EST-CE QUE ÇA PEUT TE FAIRE SHURO ?! T'ES HOMO OU QUOI ?!!

EUH... JE SUIS UNE FILLE ...

IL N'AVAIT PAS REMARQUÉ ...?

YUHI !?

AAAGH

SPLASH

…MANQUER DE SE NOYER PARCE QU'ON PENSE QUE QUELQU'UN VEUT SE SUICIDER, C'EST DU YUHI TOUT CRACHÉ !!

ÇA SUFFIT AVEC ÇA ! NE ME DIS PAS QUE TU TROUVES NORMAL D'ALLER DANS L'EAU EN UNIFORME ?!...

EN TOUT CAS, QUELLE EXTRAORDI-NAIRE RES-SEMBLANCE AVEC AYA !

PFF! ET PUIS JE NAGE TRÈS BIEN D'ABORD !

LYCÉE

IGLYA GLEUX GLAYA* !! O S'COURS !!

BLUB BLUB

* IL Y A DEUX AYA !!

17

18

19

TAP

PARDON
....

BAM

JE POUVAIS ENCORE ESPÉRER QUE JE M'ÉTAIS MONTÉ LA TÊTE POUR RIEN MAIS MAINTENANT JE CONNAIS LA TERRIBLE VÉRITÉ !!!! AAAH !!!!

OUIIIIIIN

ALORS IL NE FALLAIT PAS DEMANDER !
TU NE RÉCOLTES QUE CE QUE TU AS SEMÉ !!

OUI OUI, JE COMPRENDS, ALLONS, CALME-TOI !

DÉSOLÉE MAIS JE SUIS UNE FILLE !

SHUROOOOOOO !!! SI TU ES UN HOMME, TU DOIS COMPRENDRE CE QUE JE RESSENS !!!! TU DOIS COMPRENDRE !!!!

BOOOOUH

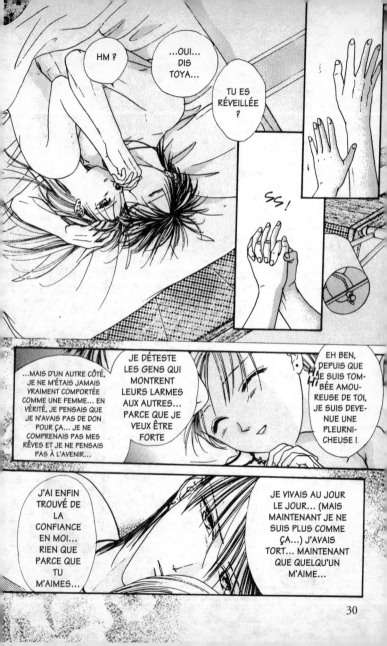

HM ?

...OUI... DIS TOYA...

TU ES RÉVEILLÉE ?

SS !

...MAIS D'UN AUTRE CÔTÉ, JE NE M'ÉTAIS JAMAIS VRAIMENT COMPORTÉE COMME UNE FEMME... EN VÉRITÉ, JE PENSAIS QUE JE N'AVAIS PAS DE DON POUR ÇA... JE NE COMPRENAIS PAS MES RÊVES ET JE NE PENSAIS PAS À L'AVENIR...

JE DÉTESTE LES GENS QUI MONTRENT LEURS LARMES AUX AUTRES... PARCE QUE JE VEUX ÊTRE FORTE

EH BEN, DEPUIS QUE JE SUIS TOMBÉE AMOUREUSE DE TOI, JE SUIS DEVENUE UNE PLEURNICHEUSE !

J'AI ENFIN TROUVÉ DE LA CONFIANCE EN MOI... RIEN QUE PARCE QUE TU M'AIMES...

JE VIVAIS AU JOUR LE JOUR... (MAIS MAINTENANT JE NE SUIS PLUS COMME ÇA...) J'AVAIS TORT... MAINTENANT QUE QUELQU'UN M'AIME...

ET J'AIME ÇA...

DANS TES BRAS, J'AI UN PEU CHANGÉ, JE SUIS DEVENUE "UNE FEMME"...

...JE SUIS HEUREUSE DE VIVRE...

TU M'AS DIT AU TÉLÉPHONE QUE JE T'AVAIS CHANGÉ MAIS... TU M'AS CHANGÉE AUSSI...!

AH ?

JE T'EMMÈNE À L'ÉCOLE !

D'ACC !

OUAAH, IL AIME MES CHEVEUX !

... ALORS JE LES GARDE !!

POH !

TES JOLIS CHE-VEUX... MOI JE LES AIME LONGS...

QUELLE TEMPÊTE ! C'EST INSUPPORTABLE AVEC MES CHEVEUX LONGS, JE DEVRAIS PEUT-ÊTRE LES COUPER !!

FIOOOUUU

C'EST UN ENDROIT VRAIMENT SUPERBE, TU VAS VOIR ! J'AI VRAIMENT L'IMPRES-SION QUE LA NYMPHE A PU HABI-TER PAR ICI... AH EN PLUS, JE POURRAIS PEUT-ÊTRE TE PRÉSEN-TER À UNE AMIE !!

EUH... BON

AH, TOYA ! LES CÔTES DE MIHO SONT TOUT PRÈS D'ICI, COMME J'AI UN PEU DE TEMPS AVANT LE DÉBUT DES COURS, ALLONS Y FAIRE UN TOUR !!

CHTING CHTING CHTING

32

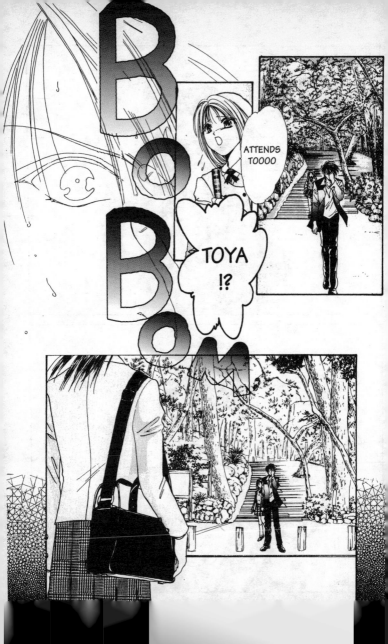

...TOYA

"AYA ?..."

"QUI ÊTES-VOUS ?"

QU'EST-CE QUE TU RACONTES ?... TOYA... ?!

VOUS N'ÊTES PAS MIORI... ?

...QUI ÊTES-VOUS... ?

44

NE PARLE PAS COMME UN PÈRE QUI DÉSAPPROUVE LE CHOIX DE SA FILLE, YUHI !!

QUELLE MAUVAISE FILLE !!!!!

SHH!

MAIS ELLE N'EST PAS ENCORE ARRIVÉE À L'ÉCOLE À CETTE HEURE-CI !!!

ELLE EST SÛREMENT DANS UN HÔTEL EN CE MOMENT, ET CE BON À RIEN DE TOYA... L'EMBRASSE PARTOUT... AAAAH... ET LÀ... ET LÀ AUSSI !!!!

AAAAAAAH PAUVRE DE MOI, QUELLE VISION CAUCHEMAR-DESQUE !!!!

C'EST TOI QUI VISUA-LISES !!

46

LES BLA-BLAS DE YUU WATASE

…En fait, les dialectes dans "Ayashi no Ceres" sont revus et corrigés par les personnes de ces régions respectives. Quand j'ai écrit les dialogues en dialecte d'Okinawa, j'ai demandé à un auteur de cette région de les corriger. Une fois, j'ai écrit dans un livre quelques dialogues en dialecte d'Okinawa mais cet auteur ne connaissait pas les mots. Comme j'ai pensé que c'était compliqué, je n'ai pas utilisé ces dialogues… Sinon, le dialecte que j'avais utilisé dans le tome 6 a été corrigé par 2 ou 3 personnes qui m'ont écrit. En fait, le rédacteur en charge de mon œuvre a vérifié les dialogues en dialecte de Kumamoto auprès d'un autre rédacteur d'origine de Kumamoto, qui a confirmé que ça se disait, avant de publier ces dialogues. Mais certains disaient que ça ne se disait pas… J'ai alors demandé encore une fois si ça se disait ou pas, à une fille originaire de cette région qui a moins de 25 ans. Elle m'a répondu que ça se disait… Mais c'est quoi, toute cette histoire !? Alors, j'ai pensé à un truc… Même avec le dialecte de la région de Kansaï, on a les dialectes d'Osaka, de Kobé, de Nara, de Kyoto… tout est différent.
De plus, le dialecte de la ville d'Osaka et celui de la région Osaka est différent. Même dans la région Osaka, il y a plusieurs variations. (En effet, quand j'étais lycéenne dans la ville de Sakaune de la région d'Osaka, on m'a dit que je faisais peur quand je parlais le dialecte local… J'ai corrigé ça moi-même aussitôt.) Ainsi, j'ai utilisé dans cette BD le dialecte général de la région de Kansaï.
Je ne peux pas écrire fidèlement tous les dialectes, si on utilise des dialectes différents à trois villes d'ici. (En fait, il n'y a que les gens de la région qui s'aperçoivent des dialectes. Les autres s'en foutent…) Alors, j'aimerais bien que mes lecteurs soient généreux. (Je dis toujours ça…)

47

48

49

SCRIIIC

"VOUS N'ÊTES PAS MIORI"

?

"QUI ÊTES-VOUS... ?"

PEF !

ENCORE EN TRAIN DE RÊVASSER !!

SAHARA N'EST PAS REVENUE À L'ÉCOLE DEPUIS... ET LE PORTABLE EST DÉBRANCHÉ... TOYA... QUE SE PASSE-T-IL... ?

TOUT À L'HEURE EN COURS DE CUISINE, J'AI FAIT UNE TARTE À LA BANANE MAIS J'EN AI TROP FAIT (MENSONGE) ALORS, COMME TU N'AS RIEN PRIS AU PETIT-DÉJEUNER CE MATIN...

OH... MERCI

HMM

QU'EST-CE QUE TU FAIS LÀ YUHI ?!! CE N'EST PAS TA CLASSE !!

QUOI ?

!!

PSSS, QU'EST-CE QUE TU AS ? ÇA FAIT DEUX JOURS QUE NOUS N'AVONS PAS CHERCHÉ LA ROBE DE PLUMES !! S'IL S'EST PASSÉ QUELQUE CHOSE AVEC TOYA, TU PEUX ME LE...

... QU... ?!

VOUS ÊTES ...

AYA, N'EST-CE PAS ?

TOYA

CETTE PERSONNE EST "AYA MIKAGÉ"... LA FILLE DE LA FAMILLE MIKAGÉ... À CE QU'IL SEMBLE, ELLE S'EST OCCUPÉE DE TOI PENDANT L'ANNÉE DE TON AMNÉSIE !

"VOUS ÊTES AYA"

JE VOIS ...

EH BIEN... MÊME INCONSCIEMMENT, IL SEMBLE QUE JE SOIS ALLÉ VOIR LES MIKAGÉ QUAND MÊME... MAIS SAVOIR QUE CE "TROU DE MÉMOIRE" QUI A DURÉ UN AN... QUEL CHOC !...

TOYA ?

AVANT-HIER ENCORE

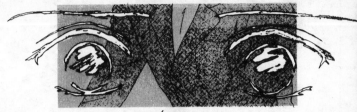

NOUS ÉTIONS DANS LES
BRAS L'UN DE L'AUTRE

NON TOYA ! NE
FAIS PAS D'EFFORT
INUTILE, TU VAS
ENCORE AVOIR MAL
À LA TÊTE
!!

CATIN G

...HMMM
NON... QUI
EST CE
GARÇON ?

TOYA NE
M'A
JAMAIS
REGARDÉE
DE CETTE
FAÇON

TOUT
VA
BIEN
MIORI

TOYA...

TOYA NE
RIT PAS DE
CETTE
FAÇON

SAHARA
...

60

MIORI ?
TU AS
FAIT VIT
...

...JE NE
COMPRENDS
PAS... QUE
S'EST-IL
PASSÉ PEN-
DANT CETTE
ANNÉE
?

...
MON SEUL
PARENT
EST MORT
...

TOYA ? QU'EST-CE QU'IL FAISAIT ICI... ?

...IL EST VENU ME PARLER DE CETTE FILLE... AYA ...

PARDON DE T'AVOIR DÉRANGÉ... SALUT !

AVAIS-JE... DES LIENS PARTICULIERS AVEC ELLE ?

...BON SANG... ET SI JAMAIS... PENDANT MON AMNÉSIE J'AVAIS ...

TOYA !!

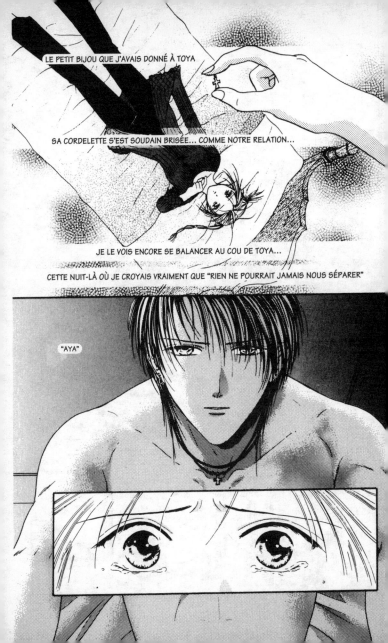

RENDEZ-
LE-MOI !!

OÙ EST
PARTI CE
TOYA ?!

RENDEZ-
MOI MON
TOYA !!!!

... PAR
EXEMPLE
... !

JE
N'ARRIVE
PAS À Y
CROIRE...
TOYA
...

TU CROIS
QUE JE POURRAIS
PLAISANTER AVEC UN
SUJET AUSSI GRAVE ?!
BON, SINON ON A UN
PEU LAISSÉ TOMBER
NOS RECHERCHES
POUR LE MOMENT
...

MOI JE L'AVAIS DIT !!! CETTE RELATION AVEC TOYA NE MENAIT À RIEN !!!!

CALMEZ-VOUS MLLE CHIDORI... VOUS ALLEZ VOUS FAIRE MAL...

JE COMPRENDS...

TOYA N'EST PAS RESPONSABLE MAIS C'EST VRAIMENT TROP TRISTE POUR AYA ...

APPUYEZ VOUS SUR MOI MLLE CHIDORI ...

MAINTENANT AYA N'A PLUS QUE TOI SUR QUI S'APPUYER YUHI !!!!

SERS-TOI DE LA FORCE DE TON AMOUR POUR SAUVER AYA DE SA DÉPRESSION, COMPRIS ?!?

T'ENTENDS ?!

OUI OUI

ET VOILÀ !!

DOIS-JE VRAIMENT ÉCOUTER LES CONSEILS DE QUELQU'UN QUI SE CASSE LE PIED EN DESCENDANT UN ESCALIER À LA GARE ?!

TU NE VAS PAS EN REVENIR QUAND TU SAURAS TOUT !

AH, ET ALORS ?

YUHI !

J'AI ENCORE RIEN DIT !!

ÉCOUTE ÇA !! UN PROFESSEUR QUI TRAVAILLE ICI DEPUIS TRENTE ANS M'A DONNÉ DES INFOS SUR LA FAMILLE MIZUKI !!

BON, TIENS-TOI BIEN !

APPAREMMENT, LA FAMILLE MIZUKI FAIT PARTIE DES DESCENDANTS DE LA NYMPHE DE "LA MER DE MIHO" !!

TU ES SÉRIEUX ?...

TOYA EST LE DESCENDANT D'UNE NYMPHE !!

ÇA VEUT DONC DIRE QUE COMME AYA ET MOI ...

QUOI ?...

MAIS PERSONNE N'A PARLÉ D'UNE ROBE DE PLUMES QUI SERAIT RESTÉE DANS LA FAMILLE MIZUKI EN TOUT CAS... QU'EST-CE QU'ON FAIT ? NE DEVRAIT-ON PAS ALLER NOUS RENDRE COMPTE SUR PLACE ?!...

ON NE DOIT PLUS S'OCCUPER DE CE TYPE !!! À CAUSE DE LUI, AYA RESTE CLOÎTRÉE DANS SA CHAMBRE ET REFUSE DE SORTIR ...

JE FAIS QUOI ?

NON !!!

EH BIEN...

SALUT

J'HÉSITAIS À ME MONTRER AVEC MA NOUVELLE COIFFURE... ELLE EST BIZARRE ?

POURQUOI VOUS FAITES CETTE TÊTE TOUS LES DEUX ?!

HM HM

.....

AYAAAAA !?

LES BLA-BLAS DE YUU WATASE

Ah oui, dans le tome 7, où l'histoire se déroulait dans la région de Miyagi, un des rédacteurs originaire de Sendai (capitale de cette région) a vérifié les dialogues en dialecte. Mais dans certains cas, ce n'est que l'intonation qui est différente et les phrases écrites sont parfaitement identiques au japonais standard.

En parlant du tome 7, j'ai été contente de recevoir des compliments sur la scène d'amour dans le lit, non seulement de la part de la rédaction mais aussi des lecteurs, qui disaient que c'était un style tout à fait nouveau... J'ai été rassurée, parce que ce n'était pas obscène mais naturel et beau. (Je n'avais pas à me faire de souci...) Pour ma part, c'est la scène dont je suis la plus contente, par rapport à toutes les nombreuses scènes d'amour dans mes œuvres... Je peux même dire que j'en suis fière. (rires) (D'ailleurs, il y avait très peu de fans de Yuhi qui étaient en colère par rapport à cette scène.)

Je veux dire que ce n'était pas une scène obscène mais seulement celle où ils s'aimaient !! (Vous voyez cette différence subtile...?) Moi, je pense que l'important n'est pas dans le fait qu'ils fassent l'amour. Cette scène ne veut rien dire toute seule. On n'est pas dans les BD érotiques. Ce n'est pas parce qu'ils font l'amour tout le temps que cette BD est attirante ! (rires) Il n'y a que les mecs qui aiment ça...

L'idéal, c'est que les deux en arrivent à faire l'amour tout naturellement, à la suite de l'histoire et de leurs émotions. Quelqu'un m'a dit : "Je ne suis pas convaincue des œuvres dans lesquelles les personnages font l'amour tout de suite... Il faudrait du temps, une évolution des émotions des personnages, avant qu'ils en arrivent à faire l'amour..." (Ce n'est pas de mes œuvres que cette personne parle.) Je suis entièrement d'accord... C'est mon avis personnel.

Ouais, mais en vérité, ma mère a lu cet épisode et elle a été choquée... (rires) Quand je buvais du jus de fruit, à côté de ma mère qui faisait la vaisselle, elle a dit : "Dis, qu'est-ce que c'est que cet épisode ?" (rires)

(À suivre)

79

JE NE VEUX PAS DEVENIR CE GENRE DE FILLE INJUSTE !

DING DONG

...
EUH...
ENFIN VOILÀ
...

ET PUIS...
MOI...
JE T'

DING DONG

...JE PENSE QUE JUSQU'À MAINTENANT, JE T'AI BLESSÉ DE NOMBREUSES FOIS EN CHOISISSANT TOYA PLUTÔT QUE TOI YUHI ...

MAIS PARCE QUE JE N'AI PLUS TOYA, TU PENSES QUE JE VAIS COURIR VERS TOI PAR DÉPIT ?

OUBLIER TOUT ÇA ?
"POUR SON BIEN À LUI"

POURQUOI ESSAIENT-ILS TOUS DE NOUS SÉPARER ?

...POURQUOI TOUT LE MONDE ME DIT-IL ÇA ?

"OUBLIE-LE"
"OUBLIE TOYA"

POUR LE BIEN DE TOYA...

CETTE ANNÉE AVEC LUI A BIEN EXISTÉ !

MLLE MIKAGÉ ?

89

TOUT EST POUR LE MIEUX

ALORS... ADIEU... ADIEU...

NI LE VISAGE SOMBRE ...

OUI... TOUT EST POUR LE MIEUX SI CELUI QUI M'A CHARMÉ N'A PLUS SON REGARD TRISTE

TOUT EST POUR LE MIEUX TOYA... JE SUIS CONTENTE... TU N'ES PLUS "SEUL" DÉSORMAIS !

OOH !

95

JE COM-
PRENDS
MAINTE-
NANT

LA TRISTESSE DE
URAKAWA ET DE
HIROBÉ QUI NE
VOULAIENT PAS
PERDRE LEUR
PETIT AMI...

LA SOUFFRANCE DE
SUZUMI ET SHURO
QUI ONT SOUDAIN
PERDU L'ÊTRE QUI
COMPTAIT LE PLUS À
LEURS YEUX...

D'AILLEURS, MOI AUSSI JE CHANTERAI AUJOURD'HUI !!

ALLONS-Y AYA ! TU N'Y ES PAS RETOURNÉE DEPUIS UN BON MOMENT À CAUSE DE LA RECHERCHE DE LA ROBE DE PLUMES, HEIN ?! ET PUIS, TU POURRAS CHANTER AUTANT QUE TU VEUX !

TOC TOC

TOUTES CES FILLES, JE COMPRENDS QUELLES ONT ÉTÉ LEURS TORTURES...

AYAAA

JE VIENS DE PARLER AVEC YUHI, ÇA TE DIRAIT D'ALLER FAIRE UN KARAOKÉ ?

HÉ, J'SUIS PAS UN PRO MOI !!!

OUAAAH, YUHI, T'AS ÉTÉ TRÈS BON... BON, PAS VRAIMENT EN RYTHME MAIS...

SHURO...

AYA, C'EST À TOI, VAS-Y !!!

YUHI

L'HOMME LE PLUS IMPORTANT AU MONDE POUR SHURO ÉTAIT TOUJOURS À SES CÔTÉS...

C'EST LE MOMENT DU COUPLET DE KEÏ... MAIS MAINTENANT IL N'EST PLUS LÀ POUR LE CHANTER...

COMMENT PEUT-ELLE CONTINUER À CHANTER AVEC TANT DE TENDRESSE ET DE FORCE ?

ÇA DOIT ÊTRE DUR POUR ELLE DE CHANTER CETTE CHANSON SEULE

102

J'AI QUELQU'UN POUR ME SOUTENIR

J'AI QUELQU'UN POUR PENSER À MOI

C'EST VRAI ! MOI AUSSI JE DOIS ALLER DE L'AVANT !

JE VAIS OUBLIER TOYA !!

À MON TOUR DE CHANTER !! DONNE-MOI LE MICRO !!

J'AI PRIS MA DÉCISION

OUAIIIS !

OH !

OUI MAIS IL NE SAVAIT RIEN...

UNE ROBE DE PLUMES ? HMM... AVEZ-VOUS DEMANDÉ À M. SADAOKA ?

EH BIEN ALORS JE NE VOIS PAS...

...CE NE SONT PLUS
MES AFFAIRES

DÉSOLÉ MAIS ÇA NE TE
DÉRANGE PAS DE
RENTRER SEULE CE SOIR ?
YUHI EST RETENU PAR UN
MATCH DE BASKET ET
COMME IL S'EST DIT QUE
TU NE SERAIS PAS INTÉ-
RESSÉE POUR
VOIR ÇA...

UN MATCH
DE BASKET
?

C'EST
QUOI
CETTE
CHANSON
AYA ?...

J'AI PER-
DUUUU
MON
HOOOOM-
ME MAIS
JE NE
SUIS PAS
TRIIIISTE,
LA
LALAAAA...

PARDON
POUR LES
COUACS !

AYA !

104

LES BLA-BLAS DE YUU WATASE

Là, j'ai eu une sueur froide !! "Ta BD est pour les lecteurs plus âgés, d'accord... Mais c'est trop cru quand même !" Encore une sueur froide !! "Les parents qui verront ça vont te critiquer..." Moi, toute raide, je ne pouvais que rire...

(Heureusement, elle ne me dit plus rien sur ce sujet depuis...)

Donc je me suis fait du souci. (rires) Mais en même temps, j'étais convaincue, à tort ou à raison, que ce serait déplacé de critiquer toute l'œuvre tout simplement à cause de cette scène d'amour.

Enfin, je ne discuterai pas à fond de ce sujet qui est trop compliqué... Ce que je veux dire, c'est qu'il n'y a rien d'immoral à faire l'amour quand on s'aime... (Mon assistante prétend puissamment que faire l'amour n'est pas vulgaire et que ceux qui disent que c'est vulgaire sont vulgaires. J'ai été émue de ce qu'elle disait.)

Ce qui n'est pas bien plutôt, c'est de cacher ça. Or, dans ce monde, il y a plein de médias de masse qui abusent du sexe et des femmes. Et tous les gens, même les enfants, s'intéressent à ça... Je pense que les enfants n'acquièrent qu'une connaissance abusive, si on évite l'éducation sexuelle correcte. Est-ce pour cette raison que les lycéennes ou les collégiennes peuvent faire l'amour avec des mecs beaucoup plus âgés qu'elles ne connaissent même pas, pour de l'argent par exemple, comme dans la prostitution ?

J'espère que vous m'avez compris, même si je ne suis pas quelqu'un de parfait... Comme le sujet de "Ayashi no Ceres" est ainsi, j'oserai dessiner ça, s'il le faut. C'est vrai que je n'ai pas tellement traité le sexe comme sujet dans "Ayashi no Ceres" ni dans "Toya", sauf dans le tome 4. C'est peut-être pour ça que ça vous a semblé naturel. J'attendrai vos différents avis avec plaisir, parce que j'aimerais bien décrire des relations humaines variées quant au sexe. En fait, pour ma part, "Ayashi no Ceres" parle surtout d'amour. Vous ne voyez peut-être pas...? Mais ce n'est pas parce que ce n'est pas toujours "je t'aime" et "on baise" que ça ne parle pas d'amour. J'aimerais raconter l'aspect sévère des histoires d'amour un peu réelles et un peu rêveuses, ce serait l'idéal.

POURQUOI TU N'AS PAS DIT QUE TU PENSAIS AVOIR DE LA FIÈVRE ?! TU AURAIS DÛ RESTER À LA MAISON POUR TE REPOSER !!

PARDON... MAIS JE M'INQUIÉTAIS POUR LA ROBE DE PLUMES...

ON DIRAIT QU'IL N'Y A PLUS AUCUN "DESCENDANT DE NYMPHE" PAR ICI... J'AI DEMANDÉ AU DOCTEUR, IL N'Y A EU AUCUNE VICTIME DU POISON DES MIKAGÉ DANS LE COIN...

"APPAREMMENT TOYA EST LE DESCENDANT DE LA NYMPHE DES CÔTES DE MIHO"

AYA !!

...PFF, ARRÊTE DE ME FAIRE PEUR COMME ÇA !!

108

LAISSE-NOUS, SHURO ET MOI, NOUS OCCUPER DE LA ROBE DE PLUMES ET REPOSE-TOI !

NE T'AI-JE PAS DÉJÀ DIT QUE CELA NE FERAIT QUE TE FATIGUER DAVANTAGE !

HM...

IL N'Y A PAS AUTANT DE CIRCULATION D'HABITUDE !

VROOO TOUT

TOYA ? QU'EST-CE QU'IL Y A ?

CE N'EST RIEN...

...NON NON...

RIEN, J'AI DÛ ME FAIRE DES IDÉES...

AYA... ? TU AS MAL ?

OH ! C'EST ENCORE CETTE MLLE MIKAGÉ QUI TE PRÉOCCUPE !?...

NE T'INQUIÈTE PAS... TU ES LA SEULE POUR MOI MIORI

NON

MAIS

JE FERAI COMME L'A SOUHAITÉ MON GRAND-PÈRE...

AYA MIKAGÉ... PENSER DAVANTAGE À CETTE FILLE NE FERA QUE BLESSER MIORI... ET CETTE FILLE ELLE-MÊME...

QUI ÊTES-VOUS ?! JE NE SUIS PAS Mᴸᴸᴱ MIKAGÉ !!...

HEIN ?!...

PENSAIS-TU QUE NOUS TE LAISSERIONS EMMENER AYA MIKAGÉ AUSSI FACILEMENT AVEC TOI ?

C'EST DONC ICI QUE TU T'ÉTAIS RÉFUGIÉ TOYA ?

ATTENDEZ !! VOUS ÊTES DES EMPLOYÉS DE LA FAMILLE MIKAGÉ ?!

...DANS CE CAS, J'AI UNE FAVEUR À VOUS DEMANDER !!

VOUS... VOUS CONNAISSEZ CETTE FILLE ?!! QUI DONC ÊTES-VOUS ?!!

N'ESSAYE PAS DE M'ABUSER TOYA... TU NE CROYAIS QUAND MÊME PAS POU-VOIR COULER DES JOURS HEUREUX APRÈS AVOIR TRAHI LE CLAN MIKAGÉ ?

114

117

TAP

TOUT D'ABORD, ENCHANTÉ DE VOUS RENCONTRER

!

JE M'APPELLE TOYA MIZUKI

OH...

MIZUKI... ?

"VA VOIR LA FAMILLE MIKAGÉ À TOKYO"

PARDON DE MA VENUE SOUDAINE MAIS J'OBÉIS AU SOUHAIT QUE MON GRAND-PÈRE A FORMULÉ AVANT SA MORT IL Y A UN AN...

IDIOTE !

HEIN ?

MAIS CE N'EST QU'UNE ILLUSION... UN ÉCHAPPATOIRE QUI NE DURE QU'UN INSTANT... PENSAIS-TU ÉGALEMENT QUE CELA TE LIERAIT À TOYA POUR L'ÉTERNITÉ ?

TU PENSES QUE TU PEUX TE SAUVER EN OFFRANT TON CORPS...

TAIS... TOI...

CÉ... RÈS...

MÊME SI NOUS, LES FEMMES, NOUS OFFRONS À EUX AVEC LA PENSÉE DE NOUS "DONNER" POUR TOUJOURS... UNE FOIS LES DEUX CORPS SÉPARÉS, LES HOMMES RETOURNENT À LEUR PROPRE MONDE...

C'EST POURQUOI IL EST IMPOSSIBLE DE FAIRE "UN" AVEC EUX POUR L'ÉTERNITÉ...

...IL FALLAIT QUE TU SACHES... QUE TU PUISSES COMPRENDRE MES SENTIMENTS...

TAIS-TOI !! DANS CE CAS, POURQUOI N'ES-TU PAS SORTIE DE MON CORPS À CE MOMENT-LÀ POUR M'ARRÊTER ?!!

COMME YUHI IL Y A QUELQUES INSTANTS...

TOI AUSSI, TU VOULAIS SAVOIR... ET PUIS, LE TOYA DE CET INSTANT-LÀ ÉTAIT SÉRIEUX...

MAIS CE TOYA... A DISPARU ! COMME AKI... SON CORPS EST LE MÊME MAIS CE N'EST PLUS LUI !

IL N'EXISTE NI RELATION ÉTERNELLE, NI RELATION PARFAITE... MÊME SI LA DOULEUR EST TRÈS GRANDE, IL Y A DES CHOSES QUE TU NE POURRAS PAS OUBLIER TANT QUE TU VIVRAS... ET NOUS, FEMMES, NE POUVONS QUE NOUS RÉSIGNER ET L'ACCEPTER...

NON ! JE NE VEUX PLUS DE CETTE SOUFFRANCE !!

TU VEUX DIRE QUE MÊME SI TU T'ES FAIT AVOIR UNE FOIS, TU VEUX ENCORE TE LAISSER EMBRASSER PAR UN HOMME ?

ARRÊTE, ARRÊTE ! NE DIS PLUS RIEN !!

JE N'EN PEUX PLUS ! JE VOUDRAIS... DISPARAÎTRE !!

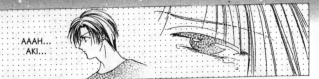

AAAH... AKI...

...C'EST VRAIMENT UN AUTRE HOMME...

QUELLE SURPRISE...

NOTRE ANCÊTRE... L'HOMME QUI A ÉPOUSÉ LA NYMPHE ! CELUI GRÂCE À QUI NOUS EXISTONS... AKI EST LA RÉINCARNATION DE CET HOMME...

NOUS ESSAYIONS DE FAIRE RETROUVER À AKI LES SOUVENIRS DE SA VIE PASSÉE QUAND L'ESPRIT DU "FONDATEUR" A PRIS LE DESSUS ET L'A POSSÉDÉ...

OOH... COMME C'EST ÉTRANGE...

TAP TAP

...VOICI "AKI MIKAGÉ", SON CORPS EST CELUI D'UN LYCÉEN MAIS EN RÉALITÉ IL ABRITE L'ESPRIT DU "FONDATEUR" DE LA FAMILLE MIKAGÉ...

LE "FONDA-TEUR" ?

J'AI FAIT QUELQUES RECHERCHES APRÈS AVOIR ENTENDU VOTRE HISTOIRE... UNE DE NOS ANCÊTRES MIKAGÉ A EFFECTIVEMENT ÉPOUSÉ UN MIZUKI IL Y A TRÈS LONG-TEMPS... J'AI ÉTÉ TRÈS SURPRIS D'AP-PRENDRE ÇA...

VOUS AVEZ DONC DIT DÉSIRER METTRE VOTRE "POUVOIR" AU SERVICE DES MIKAGÉ, N'EST-CE PAS ?

JE SUIS GLADYS SMITHON, ENCHANTÉE M. MIZUKI... VEUILLEZ ENTRER ICI, QUELQUES-UNS DE VOS CONGÉNÈRES S'Y TROUVENT DÉJÀ...

TOY...

EUH... M. MIZUKI, ENCHANTÉ DE FAIRE VOTRE "CONNAIS-SANCE" !

JE SUIS ALEXANDER O HOWELL

BON-JOUR

C'ÉTAIT LA VOLONTÉ DE MON GRAND-PÈRE, JE NE SORTAIS PAS BEAUCOUP DE CHEZ MOI QUAND J'ÉTAIS JEUNE À CAUSE DE CET ÉTRANGE "POUVOIR"... ET PUIS... À CAUSE DE CETTE COU-LEUR DE CHEVEUX AUSSI... JE PENSE QU'IL S'INQUIÉTAIT BEAUCOUP À MON SUJET...

⋮

MA CARTE DU CLUB PIKACHU !

HEIN ?!

142

LES BLA-BLAS DE YUU WATASE

Oui, c'est difficile... On me dira de ne pas écrire ce type d'histoire, si c'est trop difficile...

Moi, j'aimerais que vous, surtout les filles, pensiez que vous êtes tous et toutes une existence très précieuse. Respectez-vous vous-même, je vous en prie... Ceci dit, les avis que les adultes expriment à chaque coup de violence commis par les enfants ne tiennent peut-être pas compte des points de vue des enfants. Comme je suis une adulte, moi aussi, mon avis peut être aussi comme ça... Enfin, ce n'est pas l'âge qui aide à savoir si une personne est adulte ou pas. Parmi mes lecteurs, il y a des collégiens qui sont comme les adultes... d'autre part, il y a aussi des adultes tellement puérils... ou cons à mourir.

Et pourquoi je dis tout ça !? (rires) Oui, c'est parce que, comme disait le précédent rédacteur en charge de mes œuvres, les lettres qui me sont adressées me demandent des conseils pour leur vie personnelle... Pourquoi...!? (rires) Bien, sûr, il y a des lettres dans lesquelles ils disent qu'ils aiment tel ou tel personnage... Mais il y a aussi des lettres où ils ne parlent que de leurs problèmes d'amour, sur leur maladie, sur leur vie d'écolier, sur leurs amis, sur leurs familles... Je me dis devant ces lettres : "Qu'est-ce que tu as pensé de mon œuvre !?" (rires) J'aimerais avoir votre avis sur mon travail.

Bon. Moi, je lis toutes ces lettres sérieusement... En les lisant, tantôt je m'indigne, tantôt je compatis à leur douleur, je fais tellement de bruit que ma mère me demande de les lire tranquillement. C'est pour ça que je vous parle avec beaucoup d'émotion et de sérieux ici, à vous qui aimez me lire, parce que je ne peux pas vous répondre... Excusez-moi... Je me fais du souci pour telle ou telle personne qui s'inquiétait pour ceci ou cela mais je ne peux pas privilégier trop de personnes non plus.

Ah oui, je remercie quand même celles qui m'ont offert des cassettes. Oui, la chanson "Rain" du groupe "Luna Sea" convient parfaitement à cette situation. Le groupe "L'Arc-en-ciel" aussi.

145

CÉ...
RÈS !?

HYAAAH
!

TOYA A
FAIT QUOI
?

OUAAAH
OUAAAAH

ILS SONT
CAPABLES DE
TOUT AVEC
TOYA DE LEUR
CÔTÉ...!

COMMENT
J'AI PU LA
QUITTER
HABILLÉE
COMME ÇA
?!

TU DIS QU'IL
EST REPARTI CHEZ
LES MIKAGÉ
?!

METS...
METS DES
SOUS-VÊTE-
MENTS
!!!

146

147

148

"POUR L'INSTANT NOUS AVONS ÉTÉ INCAPABLES DE LUI METTRE LA MAIN DESSUS... MAIS AVEC TOI JE SUIS SÛR QUE NOUS CAPTURE-RONS CÉRÈS ET SES ALLIÉS AUSSI..."

"CÉRÈS HAIT LE "FONDATEUR" PARCE QU'IL LUI A PRIS SA "ROBE DE PLUMES"... TRANSFORMÉE EN CÉRÈS, AYA A TUÉ DE NOMBREUSES PERSONNES"

"COMME AKI MIKAGÉ EST LE "FONDATEUR", SA SŒUR AYA EST LA RÉINCARNATION DE LA NYMPHE CÉRÈS..."

OUI ...

CETTE FILLE, UNE TUEUSE... ? J'AI DU MAL À Y CROIRE ...

MIORI... TU VEUX DIRE QUE ...

JE VAIS DEMANDER À MES PARENTS ET CHERCHER UNE ÉCOLE POUR MOI À TOKYO !... À MOINS QUE JE NE ME TROUVE UN EMPLOI... ? ON S'EN SORTIRA TOUS LES DEUX TU VERRAS !!

TU VAS ÊTRE TRÈS OCCUPÉ BIENTÔT, HEIN ?!

...QU'EST-CE QUE J'AI ?... J'AIME MIORI, NON ?... ELLE A TOUJOURS ÉTÉ À MES CÔTÉS ...

VLAN

...JE COMPRENDS

J'AI DÉJÀ DÛ L'EMBRASSER DES CENTAINES DE FOIS AVANT ...

...PARDONNE-MOI, JE SUIS TRÈS FATIGUÉ... ET JE NE ME SENS PAS EN FORME ...

CHTING

CHTING

TING

BON, JE SORS FAIRE DES COURSES !

ALORS POURQUOI ?... POURQUOI EST-CE QUE MON CORPS... POURQUOI ... ?!

TU VEUX QUELQUE CHOSE À BOIRE ? IL FAUT FÊTER TON NOUVEL EMPLOI !!

CHTING

154

157

C'EST MOI QUI SUIS SALE ET NUL ! C'EST VRAI... JE JOUE LES BONS GARÇONS SANS ARRÊT MAIS À LA VÉRITÉ, DU FOND DE MON CŒUR, J'AI TOUJOURS VOULU ...

C'EST MOI QUI AI VOULU PROFITER DE SA FAIBLESSE POUR LA FAIRE MIENNE !!

C'EST MOI QUI AI VOULU PROFITER DE SA DOULEUR D'AVOIR PERDU TOYA !!

...TU N'AS PAS À T'EN VOULOIR

S S S

ET FINALEMENT... À CAUSE DE ÇA... ELLE NOUS A QUITTÉS... ET JE NE PEUX RIEN Y CHANGER ...

TU AS BIEN AGI

QU'EST-CE QUE JE POUVAIS FAIRE ?!... QU'EST-CE QUE J'AURAIS DÛ FAIRE ?!

...JE
T'AIME
!

...
ET QUE
J'AVAIS
ENLACÉ
CETTE
FILLE SANS
M'EN
RENDRE
COMPTE
...

CE N'ÉTAIT
PAS COMME
SUR LA
PLAGE,
QUAND MON
CORPS AVAIT
AGI DE
LUI-MÊME
...

"JE
T'AIME"...
HMMM

SHHH

COMME C'EST
ÉTRANGE... EN
PRONONÇANT
CES MOTS...
J'AI EU
L'IMPRESSION
QUE QUELQUE
CHOSE
CLOCHAIT
...

JE T'AIME

CE QUE JE
RESSENTAIS À
CE MOMENT-
LÀ... JAMAIS
JE N'AURAIS PU
LE RÉSUMER À
CES SIMPLES
MOTS... ÉTAIT-
CE CELA LE
VÉRITABLE "JE
T'AIME"... ?

LES BLA-BLAS DE YUU WATASE

Aaaah ! C'est le dernier message !?
Alors, sur l'épisode à Shizuoka, j'ai reçu des réactions qui m'ont fait très plaisir. (rires) La plupart d'entre vous éprouvaient de la compassion pour Aya. Il y avait aussi pas mal de personnes qui étaient plus en colère contre Miori que contre Toya. Comment vous allez réagir au prochain tome ? (sueur froide...)
Mon assistante dit que c'est Toya qui mérite le plus la compassion. Ouais...
Moi, j'aime Toya, mais pas Yuhi, parce que je n'ai jamais créé un personnage comme Toya et qu'il est beau ! En effet, l'histoire d'amour sera beaucoup plus passionnante avec lui. Par contre, Yuhi tient un rôle dont le caractère est plus intéressant. Il est aussi mignon. J'ai même reçu une lettre qui disait que "Toya et Aya sont tellement loin l'un de l'autre qu'ils éprouvent beaucoup d'émotions quand ils se retrouvent ensemble."
Un sentiment caché, quoi...
Dans la réalité, l'amour finit par durer quand on n'est ni près ni loin l'un de l'autre. Si on est tout le temps ensemble, ça finira par une rupture. (N'empêche qu'il y a toujours des exceptions, bien sûr...)
Mon autre assistante dit que tout tourne mal par contre pour Toya, parce qu'il ne s'exprime pas même s'il fait plus d'efforts que Yuhi... (Oui, effectivement, il risque sa vie... (rire)) C'est pas grave, il est récompensé de mon amour. (rires)
Passons à un autre sujet... Le calendrier de 1999 de "Ayashi no Ceres" sera mis en vente ! (Comment ?) De plus, tous les dessins sont faits pour cette occasion ! Vous vous y mettrez, alors !? Je ne sais pas exactement quand ce sera mis en vente... En novembre peut-être...
De plus, le dernier tome de la vidéo originale de "Fushigi Yugi : 2 partie" va sortir en octobre ! Comme la durée est de 50 minutes environ, ça coûte un peu cher... C'est la dernière histoire en vidéo de "Fushigi Yugi". J'aimerais que vous regardiez ça !
Et ce n'est pas tout... la deuxième nouvelle de "Fushigi Yugi", l'histoire de Chichiri, intitulée "Shoryu den", est en vente, dans la collection des livres de poche Palette parue aux Éditions Shogakukan ! (La première nouvelle, l'histoire de Tasuki, intitulée "Genro den" vient aussi d'être réimprimée.) La prochaine nouvelle, c'est l'histoire de Nuriko...
À bientôt, mes chers lecteurs... Le prochain tome sera aussi extraordinaire... peut-être. Attendez le mois de décembre !

172

DÉPÊCHE-TOI !!!!

AH, SI JAMAIS VOUS VOYEZ TOYA, DONNEZ-LUI MA PHOTO...

LE POUVOIR DE L'AMOUR LUI RENDRA PEUT-ÊTRE LA MÉMOIRE !

CHERCH'

COMPRIS, DÉPÊCHE-TOI !!

ESSAYEZ DE RETENIR CÉRÈS JUSQU'À MON RETOUR !!

CÉRÈS !?

AYA... MON AUTRE MOI-MÊME... TU M'AVAIS DIT D'ÉPARGNER TON FRÈRE ET LES MIKAGÉ ET QU'EN ÉCHANGE, TU TROUVERAIS MA "ROBE DE PLUMES"...

MAIS TU AS ANNULÉ NOTRE PACTE QUAND TU AS DÉCIDÉ DE DISPARAÎTRE !

MIZUKI ! QU'EST-CE QUE TU AS ?

...ENCORE... !! À CHAQUE FOIS QUE J'ESSAIE DE ME SOUVENIR D'ELLE, MES MAUX DE TÊTE ME REPRENNENT...!

EUH... RIEN...

MONTRE-NOUS CE DONT TU ES CAPABLE !

TU AS BIEN COMPRIS ? QUAND CÉRÈS APPARAÎTRA, CONDUITS-LA VERS LE PARKING SOUTER-RAIN... SI TOUT MARCHE BIEN, DEUX AUTRES NYMPHES ARRIVERONT ENSUITE...

ET TU POURRAS VIVRE HEUREUX AVEC "MIORI SAHARA"...!!

... KAGAMI

TU PENSES VRAIMENT QUE ÇA IRA AVEC CET HOMME ?

MODELÈS KITS - VIDÉOS -
LIVRES - ART BOOKS -
VIDÉO - POSTERS -
MANGAVORACES -
MODELÈS KITS - VIDÉOS -
LIVRES - ART BOOKS -
VIDÉO - POSTERS -
MANGAVORACES -
MODELÈS KITS - VIDÉOS -
LIVRES - ART BOOKS -
VIDÉO - POSTERS -
MANGAVORACES -
MODELÈS KITS - VIDÉOS -
LIVRES - ART BOOKS -
VIDÉO - POSTERS -

LE MANGA C'EST AUSSI...

MODELÈS KITS - VIDÉOS - LIVRES - ART BOOKS - VIDÉO - POSTERS - MANGAVORACES - MODELÈS KITS - VIDÉOS - LIVRES - ART BOOKS - VIDÉO - POSTERS - MANGAVORACES - MODELÈS KITS - VIDÉOS - LIVRES - ART BOOKS - VIDÉO - POSTERS - MANGAVORACES - MODELÈS KITS - VIDÉOS - LIVRES - ART BOOKS - VIDÉO - POSTERS -

CELUI QUE J'AIME

Déclinaisons poétiques et multiples sur le plus doux des thèmes. Le studio CLAMP nous propose ses visions de l'amour.

Douze petits fragments de bonheur offerts par la studio CLAMP. Avec un peu de couleur (un délicat pastel d'une harmonie rare) en prime.

CELUI QUE J'AIME est, pour une fois chez CLAMP, toujours du sexe opposé au mien. CELUI QUE J'AIME est, comme d'habitude chez CLAMP, charmant. Et celui que j'aime sait me plaire par ces petits détails anodins de prime abord, mais qui font fondre mon petit cœur de douce et tendre demoiselle.

Les saynète se suivent et se ressemblent par le fond, tout en dégageant chacune une poésie et une délicatesse propre, la rendant unique. Quelques pages, quelques cases, quelques situations, quelques mots pour que l'amour que se porte deux être puissent se révéler dans toute sa subtilité, toute sa puissance, toute sa beauté. Rien de niais. Uniquement le souffle rêveur du sentiment dans toute son ampleur, qui vient nous bercer un instant de douces illusions, de doux souvenirs, ou de doux instants vécus au présent.

ÉDITIONS TONKAM

CELUI QUE J'AIME

WATASHI NO SUKINA HITO

PLANNING AND PRESENTED BY

CLAMP

PASSAGE À L'EURO

À l'occasion du basculement en euro le 1er janvier 2002, nous avons décidé d'homogénéiser nos prix et de les simplifier. Nous avons choisi d'appliquer aux centièmes d'euro la même logique que pour nos anciens centimes. Ainsi, nos prix seront échelonnés de 5 cents en 5 cents, afin de faciliter les modes de règlements.

Les tarifs seront donc les suivants :

30 F	devient 4,60 €	(au lieu de 4,57 €)
32 F	devient 4,90 €	(au lieu de 4,88 €)
48 F	devient 7,35 €	(au lieu de 7,32 €)
55 F	devient 8,40 €	(au lieu de 8,38 €)
59 F	devient 9,00 €	(au lieu de 8,99 €)
70 F	devient 10,70 €	(au lieu de 10,67 €)
75 F	devient 11,45 €	(au lieu de 11,43 €)
79 F	devient 12,05 €	(au lieu de 12,04 €)

La hausse constatée sera donc au maximum de 33 centimes.

Pour toute information ou question, n'hésitez pas à nous contacter à *ecrivez-nous@tonkam.com*

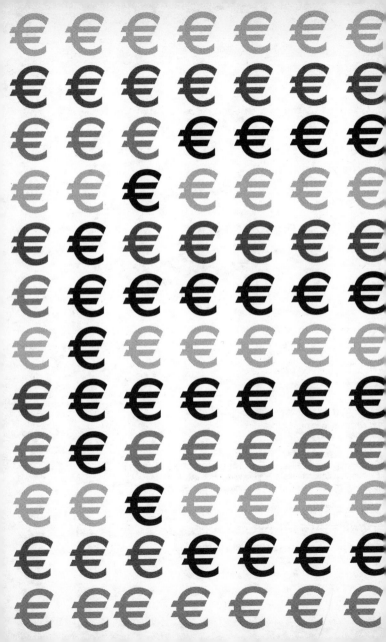

"AYASHI NO SERESU !"
un conte de fées céleste
© 1996 by WATASE Yuu

All rights reserved
Original japanese edition published in 1996 by SHOGAKUKAN Inc., Tokyo
French translation rights arranged with SHOGAKUKAN Inc.
for Belgium, Canada, France, Luxembourg and Switzerland

Édition française :
© 2001 TONKAM
BP 356 - 75526 Paris Cedex 11
Traduction : Satoko Renaud
Adaptation, Lettrage et Maquette : Studio TONKAM

Achevé d'imprimer en octobre 2001
sur les presses de l'imprimerie Darantiere à Quétigny (Côte d'Or)
Dépôt légal : novembre 2001